40 singes-rubis

poèmes

Données de catalogage avant publication (Canada)

Montpetit, Marie-Hélène
    40 singes-rubis
    (Poésie)
    ISBN 2-89031-454-5

    I. Titre.   II. Titre: Quarante singes-rubis

    PS8576.O539Q37 2002   C841'.6   C2002-941133-5
    PS9576.O539Q37 2002
    PQ3919.2.M66Q37 2002

Nous remercions le Conseil des Arts du Canada ainsi que la Société de développement des entreprises culturelles du Québec de l'aide apportée à notre programme de publication. Nous reconnaissons également l'aide financière du gouvernement du Canada par l'entremise du Programme d'aide au développement de l'industrie de l'édition (PADIÉ) pour nos activités d'édition.
Gouvernement du Québec – Programme de crédit d'impôt pour l'édition de livres – Gestion SODEC

Mise en pages : Sophie Jaillot
Maquette de la couverture : Raymond Martin
Illustration de la couverture : dessin de Marie-Claude Pratte

DISTRIBUTION :

Canada
Dimedia
539, boul. Lebeau
Saint-Laurent (Québec)
H4N 1S2
Tél. : (514) 336-3941
Téléc. : (514) 331-3916
general@dimedia.qc.ca

Europe francophone
Librairie du Québec / D.E.Q.
30, rue Gay Lussac
75005 Paris
France
Tél. : (1) 43 54 49 02
Téléc. : (1) 43 54 39 15
liquebec@noos.fr

Dépôt légal : B.N.Q. et B.N.C., 3ᵉ trimestre 2002
Imprimé au Canada

Marie-Hélène Montpetit

40 singes-rubis

poèmes

Triptyque

À Pierre St-Jak

Saint-Jean-Vianney morne crache ses boues d'horizon
Je ploie à l'abandon sous vos hautes foulées

La défaite pond ses œufs sous mes eaux

Atrophie des robustes
Typhus des marais

Je tire ma maison d'âge lourd hors des glaises
ralentie par le poids adulte du fardeau

La lèpre vitriol assèche mes poings nus

Je me fâche à demi sur la blanche civière
tandis qu'un petit singe viole mon accalmie
et placarde à tue-tête
ses bang-bang
de discorde

Par sa faute, le pire

Fille indigne à genoux se mutile

Repens-toi de l'aisance
Plie ton orgueil à rien

La benne Nuremberg va châtrer ta révolte

J'ai cassé l'os charpente de la maison bouteille
Ma cache a explosé dans la nuit dynamite
                    sous les cris, mécano

Dans le chantier béant
je tente d'ensabler l'absolu de ma soif
en mâchant des cailloux

Aimer
et aimer mal

les jours où l'abandon
ne dit pas ce qu'il pense

J'ai les yeux aussi secs que ma lucidité
La pluie ne lessive pas l'âge que j'ai dans les veines

Dans la hargne du lit
ton mépris fait grincer ses ressorts

Fiel
Brouilles jaunes ecchymoses
Bruits de Cabasse. Ça bragne.
À cran, Douce gémit.

Sans-Cœur de tête de nœuds
SkyLolo Méthanol
Nos larmes sont soûles à pleurer
je te dis

Je m'évade de nous par les chemins de panique
sauvant ma peau
tirant ma vie par les épaules
les casseroles de la dèche jacassant à mon cou

La solitude crue pisse son désarroi
de fer-blanc dans la cuve

Le sexe est avide
Porcin comme les porcs
dans la soue du bout de soi

Je m'en suis retournée aux fosses primitives
où je souille les eaux
de ton lac, Yéti.

Le matin crie Heïdi dans le chalet du lit

Mon corps est un sofa
dont les coussins bayent aux corneilles

Dans la corbeille du sommeil
j'ai lavé cette nuit du linge sale de famille

Le matin en retour de labour
s'étire
à travers les sillons de ma carte du ciel

La molle maison neige des matins d'Épinal

L'hiver mitaine ses plaies
et recoud sous les draps son trousseau de paresse

loin des raids abrasifs
et des époux querelle

Certains jours
tout est toi
jusqu'à l'invraisemblance

et je bouge avec toi
dès qu'ouvrent les paupières
comme l'eau dans les eaux

Tout de l'amour explose
dans l'espoir Bikini

Mon désir se heurte à ta moue
à ton chiendent de cailloux

Nous sommes rivaux comme deux vents contraires

Mes barillets claquent dans la tresse de tes os
Ta nuque est raide de couleuvres

Dans la forêt en feu
tu chantes

Dehors,
décembre bègue

Ton souvenir force l'aplomb de ma réserve

et me châtie longtemps

tandis que les murs
de ma maison s'écroulent

Je rampe dans la boue de l'informe

Moi, la limace
dont les prothèses en acier ont fléchi

Je défie ma carence
le bois cassé de ma morale
et le Christ larvaire qui chenille ma croix

Mettre le feu aux arbres
Lacérer les couleurs
Vandaliser l'iode
Museler les cris d'Esther
Hululer des dessins d'ecchymoses
Se tailler de petits triangles dans le gras de la chair
comme le boucher de Lyon
à petits coups de lame adroits et secs
Piller l'hérédité
Saccager sa mémoire
Délabrer son tumulte dans des abris de moelle
rogues et obsolètes comme des ventres de mères
ayant refait leurs vies en de secondes noces
Abolir les transferts, les souvenirs et les rites
S'asphyxier dans le démantèlement des gestes fraternels
Et s'effondrer
usé
jusqu'à l'écorce vive
en repoussant les chiots, le parfum, la douceur
emmuré dans la conque
sans vis-à-vis
la grève

alors

clouer sa haine de soi avec des gourdins noirs
claquer ses dobermans sur ses bras de fillette
se coudre les viscères avec de la ronce
pour larder cette carence
puis se couper les cheveux en vouvoyant ses pairs
en répétant des mots qui constituent la règle
jusqu'à n'être plus
qu'une ligne droite qui tranche
entre debout et morne
la masse difforme du réel

Cintres de rouille ambrée
Courbes-feux de frayeur

Petite chauve-souris bousillée de clartés
Hissée hors des étangs où baignaient ses moues d'ombre

Râlements de muette devant le jour babil

J'encaisse nos tempêtes

me voici comme un sac éventré sur le sol

Ma maison s'est fêlée
dans cette mêlée soudaine
de toi nu contre moi
dans l'éboulis de l'aube

J'ai roulé sous le houx dans le camion d'alerte
J'ai couché mes perdreaux sous tes clous d'éthylène

J'ai vu bomber la chair
Suer la bride dans l'hallali

J'ai échiné mes os sur ta dérive archange

Repliée sur les rails
dans janvier oxydé

Ton sperme
comme un trophée
sur ma jupe de parade

Je redresse mes couteaux
amour
je redeviens cheyenne pour toi

Entends mon cœur décrocher l'angélus
tandis que je te nomme

Je suis ta sœur par les mains
Je suis à toi par la taille
Je verse à l'abandon dans ta bouche
                    ma fièvre
L'été fait le lézard sur le sommier vapeur

Dans le moule calcaire de tes os
je rêve
et l'océan dévore de partout nos plaisances

Le désir est une métamorphose

Chenille plainte avide
sur le lit Papillon

Dans le toboggan de ton haleine
fument des brumes d'Appalaches

Je langue ta foreign tongue
longtemps
la transe est vaste

Néant Noyé
Noyée Naïade

Le train kidnappe nos maux de Loon

Des hottes se dénudent sur le dos des forêts
Dans les refuges paissent des bonheurs de pinède

Des arbres de Bohème
chargés comme des fusils
bombent le torse dans l'encolure du ciel

Dans le tic-tac-toe des flammes
ma brûlure vidange ses puits
des cris
des bousculades
de la morgue des ormes
qui claquemuraient leurs poignes sur l'échine des mouches
    noires

Je frictionne ma chair de terre et de brindilles

Ma joie est comme une arme

et je m'habille d'elle comme d'une veste pare-balles
en cette poudrière de branches mortes qui tire
à blanc
notre silence
sous le ciel écarlate

Tes baisers s'asphyxient
dans l'impasse
de ma gorge

Je dis des phrases-clous
qui te tiennent
à distance

Tu pars

Mon cœur se referme
comme un hygiaphone

Je n'ai plus d'avenir
où te donner la main

Je respire à l'étroit dans l'étau de mes rigueurs

Toutes mes affections
sont passées au tamis

Je ne déborde plus de mon lit solitaire

J'ai morcelé avec mes poings
de fille résolue
mes territoires de lassitude

Mes lots d'apathie se fragmentent

La fermeté me sangle comme un corset

Ma morale crache raide
ses couteaux d'avalanche

J'épouille de leurs larves mes chignons noirs
et réarme mes muscles dans cette chambre nette
que mes bras de pie rèche
ont lavée à grande eau

Tout est blanc et stoïque
Inhumainement froid

C'est Carême à l'excès
Je m'astreins à ce joug

Mais j'envie la débauche
de la gueuse jumelle

Tes chiens blancs d'orties dégainent leurs épines sur le
sommier d'hiver
L'aube chahute comme une porte qui claque
Dans l'escalier, la fuite, le bourbier, la souillure

Je ne rapatrie chez moi
que ton fiel
en ma plaie

Petit garçon hostile
lorsque je couche en toi
mon corps ankylosé par la houille et le seigle

je regrette la cache aux étangs de mazout

où s'affaissent mes trembles

repliés sur le flanc

leurs branches en éventail
repoussant vers la rive

mon ventre

plombé de rouille et d'eau

qui engourdit ses joncs en apnée solitude

Crottes de sable noir
sur Black Lake amputé

Asbestos s'embrase dans l'horizon frugal

Les vents peinent leurs peines

Petits typhons chômeurs
essoufflés avant le temps

dans le pays-thorax

Je nage dans des cuves abandonnées aux ombres

Polio

Mes muscles en charpie dans l'attelle de l'aube

Juillet fusille l'élan et brouille l'ombre debout

L'oiseau-métal grince sur la piste soleil
Bombay cogne son gong de pesante prière

Ma cervelle cherche l'eau
et bégaie ses voyelles

Je fraie dans la promesse cruelle
des déluges

Tu exhibes sur ta commode
des trophées
et des polaroïds
des seins pulpeux de ta cousine
qui pose nue pour toi les fins de semaine
dans son chalet de Saint-André-Avellin
Moi, je rattrape des années lâches
de fille exsangue et sans poitrine
Je déballe mes ruches de fille mal équarrie
sur les fleurs de ce lit
dans lequel tu creuses ta masse uppercut
à l'aube
artère Wellington Ouest

Sous le bleu de nos yeux sans ténèbres
tout le blanc s'agenouille
Ma chair
s'agglutine à ta chair
et ma neurasthénie à tes muscles qui saillent
Je m'agrippe au totem J'ai vingt ans Sauve-moi
Un essaim de myocardes fracture ton corps maigre
Oklahoma orgasme
Ses valves TNT déboîtent leurs corolles sur le lit suffragette
Et l'osmose déraille
Je cailloute mon repli
piétinée par mes ombres
peu à peu immolée dans ta mire abandon

Notre extase s'enroue
Mon empathie se brise
Je suis dépossédée comme une femme de banlieue
qui secoue ses brûlons devant sa maison vide
Je connais le voleur
c'est mon corps qu'il conduit
dans sa fuite aveugle
vers Saint-Côme

amnésique

Mes seins sont des desserts
qui vieillissent en vitrine

Mariée laissée-pour-compte
sur le gâteau vanille

Nous sommes laids
Nous sommes laids et brûlants

Femmes lourdes
Coolies du Viêt-Nam
Écopant notre fuel aux bocks
en ce bar de la rue Saint-Laurent

Je thrill ma langue dans ta bouche
Tu fleures comme un feed-back
en aval de ma douceur

Tu ventes avec tes bras tous les moulins de mon cœur

comme si j'étais ta sœur

sur Never-Mind Hi-Fi

À l'âge d'être nus
jusqu'aux veines

si peu d'armure

Saillie des transparences
avant le rapt

des guerres lasses

Je suis lacée aux fers de ton lit de sabbat

Tes lames de querelle me lacèrent le visage

J'arpente la travée bleue de nos épousailles avec la peur au
    ventre
comme une Espagne de marbre
couronnée de glaïeuls
aux jours de la Terreur et de l'Inquisition

Tes bœufs d'ouragan ont disloqué la chambre

et je n'ai plus d'abri où coucher ma carcasse
de fillette malingre
chassée hors du refuge où se terrait sa vie

Ma riposte se casse

J'alarme mon repli dans la nuit Hanoukka
pendant que tes corneilles dissèquent sur le sommier
mes reliques

Tu exiges de moi
que je m'arrache à ma mémoire

pour que nous construisions à nous deux
un espace
de routes
et de cadastre

où nos liens

s'enracinent

J'arpente
en poison
le bleu de ma colère

Les lièvres feulent sous mes râclées

Je lâche mes chiens d'injures aux plaines
Il y a du sang qui gicle

Je mets mes mains d'enclume
Je dépèce des cadavres de ronces au couteau

Je me refais des crocs
dans ce massacre

intime

Nous nous émerveillons de l'onde Maginot
qui fait vibrer nos os
d'hyper filles chétives

Nous voilà survoltées comme ces enfants-diables

qui exigent l'amour en tapant du pied nu

Dans la cabane sylvestre
sous la voûte-tilleul
l'homme-maquis sommeille

La lune bienveillante a replié ses palmes
et le héron fait u

sur le sofa éclair

Tu pars
et je t'attends
dans le purgatoire de notre chambre vide

Notre ramdam a fait éclater le blockhaus

J'entorse dans le piège le bacille
d'une grive
Tu évides mes prunelles avec tes roitelets

La foudre a pilonné
toute la plénitude
qui nous avait soulevés
Sacré-Cœur-des-Lys

et mon ventre est en pièces

mutilé comme un geai qu'une forêt ravine

Nos liens se sont fêlés sous cette pluie de ballast

Je dors au bout d'un champ
où je n'aime
ni ne parle

J'avale de grands vides
balayés d'ondes mornes

dans le pays aphone
où croît

ma solitude

À bout d'armes et de mots
quand vient la nuit adverse

je me recroqueville

en un petit lot noir de sommeil opiniâtre
d'où j'épèle le nom
de l'amour en ma vie
qui saura entrouvrir l'espace de repli où se terre ma geôle
planter en moi ses billes sa charpente lourde
et matelasser mes nerfs
martelés par des feux de scie ronde et de rupture

Mon cœur a des promesses d'enfant
qui le bousculent

J'appelle des mains d'acier qui brisent ma quarantaine
et bâtissent avec moi leur tanière
de ce côté-ci
de mon exil

La poésie
aux éditions Triptyque

Albert, Michel. *Poèmes et autres baseballs*, 1999, 108 p.

Albert, Michel. *Souliers neufs sur les terres brûlées*, 2000, 73 p.

Arsenault, Anick. *Femmes de sous mon lit*, 2002, 88 p.

Berrouët-Oriol, Robert. *Lettres urbaines*, 1986, 88 p.

Bienvenue, Yvan. *Tout être*, 2002, 66 p.

Blo, Maggie. *Clémentine et Mars*, 2002, 76 p.

Boissé, Hélène. *Et autres infidélités*, 1990, 70 p.

Boissé, Hélène. *De l'étreinte*, 1995, 83 p.

Boissé, Hélène. *Silence à bout portant*, 1999, 86 p.

Bouchard, Reynald. *La poétite*, 1981, 78 p.

Bouchard, Reynald. *Chants d'amour au présent*, 1995, 52 p.

Caccia, Fulvio. *Irpinia*, 1983, 57 p.

Caccia, Fulvio. *Scirocco*, 1985, 64 p.

Caccia, Fulvio. *Lilas*, 1998, 83 p.

Campeau, Sylvain. *La Terre tourne encore*, 1993, 97 p.

Campeau, Sylvain. *Exhumation*, 1998, 104 p.

Cardinal, Diane. *L'amoureuse*, 1989, 80 p.

Chapdelaine Gagnon, Jean. *Dans l'attente d'une aube*, 1987, 71 p.

Chenard, Sylvie. *Chansons et chroniques de la baleine*, 1994, 103 p.

Clément, Michel. *Nekuia* ou *Le chant des morts*, 1987, 68 p.

Coppens, Patrick. *Enfants d'Hermès*, 1985, 64 p.

Coppens, Patrick. *Tombeaux et ricochets*, 1997, 70 p.

Corbeil, Marie-Claire. *Inlandsis* suivi de *Comment dire*, 2000, 117 p.

Côté, Michel. *Au commencement la lumière*, 2001, s. p.

Desnoyers, François. *Derrière le silence*, 1985, 108 p.

Des Rosiers, Joël. *Métropolis opéra*, 1987, 95 p.

Des Rosiers, Joël. *Tribu*, 1990, 110 p.

Des Rosiers, Joël. *Savanes*, 1993, 102 p.

Des Rosiers, Joël. *Vétiver*, 1999, 136 p.

Des Rosiers, Joël. *Métropolis opéra* suivi de *Tribu*, 2000, 192 p.

DesRuisseaux, Pierre. *Soliloques*, 1981, 88 p.

DesRuisseaux, Pierre. *Noms composés*, 1995, 104 p.

DesRuisseaux, Pierre (trad. de). *Contre-taille. Poèmes choisis de vingt-cinq auteurs canadiens-anglais*, éd. bilingue, 1996, 327 p.

DesRuisseaux, Pierre (trad. de). *Hymnes à la Grande Terre*, 1997, 265 p.

DesRuisseaux, Pierre (trad. de). *Co-incidences. Poètes anglophones du Québec*, 2000, 278 p.

Dudek, Louis (trad. P. DesRuisseaux). Dudek, *l'essentiel*, 1997, 239 p.

Dupuis, Jean-Philippe. *Attachement*, 1999, 76 p.

Dupuis, Léon Guy. *Rebours*, 2002, 78 p.

Forest, Jean. *Des fleurs pour Harlequin!*, 1985, 129 p.

Fréchette, Jean-Marc. *Le corps de l'infini*, 1986, 135 p.

Fréchette, Jean-Marc. *La sagesse est assise à l'orée*, 1988, 52 p.

Gaudreau, Jean-Pierre. *Entre la lumière des saisons*, 2000, 70 p.

Georges, Claude. *Entière mémoire noyée*, 2001, 72 p.

Giguère, Richard. *Anthologie de la poésie des Cantons de l'Est au 20ᵉ siècle* (éd. bilingue), 1999, 247 p.

Giroux, Robert. *L'œuf sans jaune*, 1982, 74 p.

Giroux, Robert. *Du fond redouté*, 1986, 72 p.

Giroux, Robert. *j'allume*, 1995, 55 p.

Giroux, Robert. *En mouvement*, 1998, 54 p.

Giroux, Robert. *Le miroir des mots*, 1999, s.p.

Giroux, Robert. *Gymnastique de la voix*, 2001, 64 p.

Gosselin, Yves. *Brescia*, 1987, 84 p.

Gosselin, Yves. *Connaissance de la mort*, 1988, 84 p.

Gousse, Edgard. *La sagesse de l'aube*, 1997, 69 p.

Guénette, Daniel. *Empiècements*, 1985, 96 p.

Guénette, Daniel. *Adieu*, 1996, 69 p.

Jalbert, Marthe. *Au beau fixe*, 1986, 50 p.

Jalbert, Marthe. *Le centre dissolu*, 1988, 50 p.

Ji, R. *Par la main du soleil*, 1981, 59 p.

Lafond, Guy. *Carnet de cendres*, 1992, 73 p.

Langevin, Gilbert. *Confidences aux gens de l'archipel*, 1993, 88 p.

Lanthier, Philip. *Anthologie de la poésie des Cantons de l'Est au 20ᵉ siècle* (éd. bilingue), 1999, 247 p.

Larocque, Marie-Christine. *La main chaude*, 1983, 67 p.

Larocque, Marie-Christine. *Encore candi d'aimer*, 1991, s.p.

Legendre De Koninck, Hélène. *Les racines de pierre*, 1992, 69 p.

Le Gris, Françoise. *Bali imaginaires*, 1993, 65 p.

Le Gris, Françoise. *Le cœur égyptien*, 1996, 133 p.

Lépine, Hélène. *Les déserts de Mour Avy*, 2000, s.p.

Malavoy-Racine, Tristan. *L'œil initial*, 2001, 67 p.

Marquis, André. *À l'ère des dinosaures*, 1996, 76 p.

Marquis, André. *Cahiers d'actualité*, 1997, 107 p.

Marquis, André. *Anthologie de la poésie des Cantons de l'Est au 20ᵉ siècle* (éd. bilingue), 1999, 247 p.

Martin, Alexis. *Des humains qui bruissent*, 1999, 51 p.

Martin, Raymond. *Indigences*, 1983, s.p.

Martin, Raymond. *Qu'en carapaces de mes propres ailes*, 1987, 74 p.

Nelligan, Émile. *Poésies* (en version originale), 1995, 303 p.

Parent, Mario. *Marcher sur les vagues*, 2000, 77 p.

Pavloff, Franck. *indienne d'exil*, 2001, 51 p.

Pelletier, Louise de gonzague. *Petites mélancolies*, 1989, 60 p.

Perreault, Guy. *Personne n'existe* suivi de *La mort des mouches*, 1999, 81 p.

Phelps, Anthony. *Orchidée nègre*, 1987, 107 p.

Poulin, Aline. *La viole d'Ingres*, 1991, 51 p.

Pourbaix, Joël. *Dans les plis de l'écriture*, 1987, 119 p.

Pourbaix, Joël. *Passage mexicain*, 1989, 78 p.

Renaud, Jacques. *Le cycle du scorpion*, 1979, 39 p.

Renaud, Jacques. *La nuit des temps*, 1984, 122 p.

Ricard, André. *Les baigneurs de Tadoussac*, 1993, 54 p.

Roy, Bruno. *L'envers de l'éveil*, 1988, 88 p.

Saint-Germain, Monique. *Archipel*, 1991, 103 p.

Savard, Marie. *Poèmes et chansons*, 1992, 96 p.

Soudeyns, Maurice. *Poèmes au noir*, 1989, 70 p.

Soudeyns, Maurice. *Vrac et nuques*, 1999, 72 p.

Sylvestre, Robert. *L'accès au cœur*, 2001, 62 p.

Tardif, Maurice. *Autoportraits à la paille creuse*, 2001, 144 p.

Trépanier, Laurent. *La parole au noir*, 1998, 56 p.

Urquhart, Jane (trad. Nicole Côté). *Les petites fleurs de Madame de Montespan*, 2000, 98 p.

Vaillancourt, Marc. *Équation personnelle*, 1992, 94 p.

Vaillancourt, Marc. *Lignes de force*, 1994, 124 p.

Vaillancourt, Marc. *Les corps simples*, 1996, 102 p.

Vaillancourt, Marc. *Almageste*, 1998, 92 p.

Vaillancourt, Marc. *Amant alterna Camenœ*, 2000, 120 p.

Warren, Louise. *L'amant gris*, 1984, 88 p.

Warren, Louise. *Madeleine de janvier à septembre*, 1985, 52 p.

Warren, Louise. *Écrire la lumière*, 1986, 50 p.

Watteyne, Nathalie. *D'ici et d'ailleurs*, 2000, s.p.

Ysraël, Élie-Pierre. *Arcane seize*, 1980, 18 p.